JOHANNES BRAHMS

KLAVIERWERKE

PIANO WORKS

Band / Volume

II

Variationen / Variations

op. 9, 21, 24, 35

Herausgegeben von / Edited by

Carl Seemann · Kurt Stephenson

C. F. PETERS

FRANKFURT/M. · LEIPZIG · LONDON · NEW YORK

INHALT

VARIATIONEN
über ein Thema von Robert Schumann

op. 9, Seite 4

VARIATIONEN
über ein eigenes Thema

op. 21 Nr. 1, Seite 20

VARIATIONEN
über ein ungarisches Lied

op. 21 Nr. 2, Seite 32

VARIATIONEN UND FUGE
über ein Thema von Georg Friedrich Händel

op. 24, Seite 42

VARIATIONEN
über ein Thema von Niccolo Paganini

op. 35, Seite 64

Vorwort

Die neue Ausgabe der Klavierwerke von Johannes Brahms verbindet die Ergebnisse wissenschaftlicher Quellen-kritik mit der Erfahrung internationaler Konzert- und Unterrichtspraxis.

Grundlage für die Revision war die 1926-28 von Eusebius Mandyczewski, dem Archivar der Wiener „Gesellschaft der Musikfreunde", vorgenommene Ausgabe der *Sämtlichen Werke*. Der Text dieser Ausgabe, der auf dem Vergleich der Autographe, der von Brahms überwachten Originalausgaben und seiner Handexemplare, in denen spätere Korrek-turen vermerkt sind, beruht, kann auch heute noch als verbindlich gelten und ist anhand der sorgfältigen Revisions-berichte nachprüfbar. Die wenigen Abweichungen späterer „Urtext"-Ausgaben vom Text der Gesamtausgabe wurden erneut überprüft; in Zweifelsfällen lag die Entscheidung über unterschiedliche Lesarten bei beiden Herausgebern gemeinsam.

Die spieltechnische Einrichtung erstreckt sich auf die Fingersatzbezeichnung, die dem besonderen Charakter der Brahms'schen Klaviermusik Rechnung trägt und dem Stand neuester Klaviertechnik entspricht, Hilfen für die Auf-teilung des Notentextes auf beide Hände (vgl. z. B. die Empfehlung des Herausgebers zur Ballade op. 10 Nr. 3) sowie auf die Position beim Ineinandergreifen der Hände, die durch die traditionellen Bezeichnungen *sopra* (hoch, weit hinten in den Tasten, über der anderen Hand) und *sotto* (tief, vorne in den Tasten, unter der anderen Hand) festgelegt wurden. Alle Herausgeber-Zusätze wurden in der üblichen Art (eckige Klammern, punktierte Bögen) ge-kennzeichnet; die originalen Fingersätze Brahms' erscheinen in kursiven Ziffern.

Preface

In this new edition of Johannes Brahms' Piano Works the results of scholarly research into authentic sources of revision have been combined with the experience of international concert practice and established academic principles of interpretation.

Serving as a basis for the preparation of this revision was the edition of *Brahms' Complete Works* undertaken in 1926-1928 by Eusebius Mandyczewski, archivist of the "Gesellschaft der Musikfreunde", Vienna. This edition, based on a comparison of the manuscripts used in compiling the original editions (supervised by Brahms himself) as well as the composer's own amendments in manuscript form, may be looked upon with authority and is verified in the editor's critical analysis of the revision. The few deviations that occur in later *Urtext* editions from the text of the complete edition have been subject to careful scrutiny, radical deviations in the various readings having been referred to both editors for unanimous adoption or rejection.

Aspects of technique involved the application of a system of fingering compatible with the character of Brahms' piano music and in due conformity with latest principles of technical execution. Suggestions are also given for dis-tributing the material conveniently over both hands (compare the editor's proposals for the layout of Ballade op. 10, No. 3) as well as for positioning the hands wherever they interlink. In the latter case, use has been made of the traditional terms *sopra* (high, i. e. fingers situated towards the extreme rear ends of the keys, above the other hand) and *sotto* (low, i. e. fingers situated at the front edges of the keys, below the other hand). All editorial suggestions are distinguished in the usual manner by the use of square brackets and dotted slurs; Brahms' original fingering appears in italics.

Préface

La nouvelle édition des oeuvres pour piano de Johannes Brahms unit les résultats d'une critique scientifique des sources à l'expérience acquise grâce à la pratique de concerts et de l'enseignement du piano sur une échelle inter-nationale.

La révision est fondée sur l'édition des *Oeuvres Complètes* entreprise de 1926 à 1928 par Eusebius Mandyczewski, l'archiviste de l'« Association des amis de la musique» de Vienne. Le texte de cette édition repose sur la comparaison des autographes, des éditions originales faites sous la surveillance de Brahms lui-même et des exemplaires écrits de la main de celuici, dans lesquels sont notées des corrections ultérieures. Aujourd'hui encore, ce texte peut être con-sidéré comme impératif et est vérifiable à l'appui des soigneux rapports sur la révision. Les rares divergences des éditions ultérieures du texte original avec le texte de l'edition intégrale ont à nouveau été examinées; dans les cas douteux, l'interprétation des versions divergentes a été la même chez les deux éditeurs.

L'arrangement technique du jeu comprend l'indication du doigté en tenant compte du caractère particulier de la musique pour piano de Brahms et correspond à la technique du piano la plus nouvelle. Il comporte aussi des conseils pour la répartition du texte musical sur les deux mains (conférer par exemple la recommandation de l'éditeur en ce qui concerne la Ballade Opus 10 no 3) ainsi que sur la position des mains lorsqu'elles se chevauchent. Pour cela, on a utilisé les indications traditionnelles: *sopra* (aigu, loin à l'arrière des touches, par-dessus l'autre main) et *sotto* (grave, à l'avant des touches, sous l'autre main). Tous les suppléments ajoutés par l'éditeur sont indiqués par les signes usuels (parenthèses anguleuses, liaisons en pointillé), les doigtés originaux de Brahms en chiffres italiques.

VARIATIONEN

über ein Thema von Robert Schumann
Komponiert 1854

Johannes Brahms, op. 9

Herausgegeben von Carl Seemann
und Kurt Stephenson

Thema
Ziemlich langsam

Var. I

Var. II
Poco più mosso

Litolff / Edition Peters Nr. 8200 b

30909

Var. III
Tempo di tema

6

Var. IV
Poco più moto

Var. V
Allegro capriccioso

8

Var. VI
Allegro

Var. VII
Andante

Var. VIII
Andante (non troppo lento)

col Pedale sempre

Var. IX
Schnell

col Ped.

Var. X

Poco Adagio

Var. XII
Allegretto, poco scherzando

Var. XIII
Non troppo Presto

Var. XV
Poco Adagio

Var. XVI
Adagio

VARIATIONEN

über ein eigenes Thema

Komponiert 1857

Opus 21 Nr. 1

30909

Var. V
Tempo di tema
Molto dolce

molto espressivo

p teneramente

sempre col Ped.

Canone in moto contrario

Var. VI

Più moto

Var. VII
Andante con moto

Var. VIII
Allegro non troppo

28

VARIATIONEN

über ein ungarisches Lied

Komponiert 1855

Opus 21 Nr. 2

Var. III

Var. IV

Var. XIII

30909

Allegro *(il doppio movimento)*

VARIATIONEN UND FUGE

über ein Thema von Georg Friedrich Händel*)

Komponiert 1861

Opus 24

*) „Aria con Variazioni" aus der Suite Nr. 1 B-dur der 2. Sammlung von „Suites de pieces pour le clavecin" 1733 / *"Aria con Variazioni"*
from Suite No. 1 B♭ major of "Suites de pieces pour le clavecin", Second volume, 1733

Var. XI

Var. XII

Var. XIII

Largamente, ma non più

30909

Var. XIV

Var. XV

Var. XVI

Var. XVII

Var. XX

Var. XXI

Var. XXII

Var. XXIII

Fuga

VARIATIONEN

über ein Thema von Niccolo Paganini

Komponiert 1862/63

Thema

Non troppo presto

Opus 35 Heft 1

Var. II

Var. III

p molto leggiero

Var. IV*)

*) *Im doppelten Notenwert, $\frac{12}{8}$-Takt:* Obschon Brahms die spätere $\frac{12}{16}$-Notierung gutgeheißen hat, wurde die allererste, ursprünglichste Notierung im $\frac{12}{8}$-Takt („im doppelten Notenwert") wiederhergestellt. Sie erscheint den Herausgebern lesbarer und auch werkgerechter.

*) *To be played in double time, i.e.* $\frac{12}{8}$: Although Brahms approved of the later setting in $\frac{12}{16}$ time, the original time signature $\frac{12}{8}$ has been re-adopted, this being, in the editors' opinion more legible and, at the same time, more in keeping with the character of the work.

*) *La double valeur des notes, la mesure à* $\frac{12}{8}$ *temps:* Bien que Brahms ait approuvé les mesures ultérieures à $\frac{12}{16}$ temps, les premières mesures originales à $\frac{12}{8}$ (la double valeur des notes) ont été rétablies. Les éditeurs sont d'avis qu'elles sont plus lisibles et qu'elles correspondent mieux au caractère de l'oeuvre.

Var. V

Var. VII

Var. VIII

Var. IX

Var. XI

Andante

Var. XII

This is a full-page sheet music image.

Presto ma non troppo

VARIATIONEN

über ein Thema von Niccolo Paganini

Komponiert 1862/63

Thema

Non troppo presto

Opus 35 Heft 2

Var. I

Var. II

Poco animato

Var. III

Var. IV

Poco allegretto

Var. V

Var. VI

Poco più vivace

Var. VII

Var. VIII

Allegro

Ossia

Var. IX

Var. X

Feroce, energico

Var. XI

Vivace

non legato e scherzando

Var. XII

Un poco andante

Var. XIII
Un poco più Andante

Var. XIV

Presto, ma non troppo

KLAVIERKONZERTE / PIANO CONCERTOS

(Ausgaben für 2 Klaviere / Two-piano editions)

Bitte forden Sie den Katalog der Edition Peters an
For our free sales catalogue please contact your local music dealer

C. F. PETERS · FRANKFURT/M. · LEIPZIG · LONDON · NEW YORK

www.edition-peters.de · www.edition-peters.com